LES ENQUÊTES
D'ANATOLE BRISTOL

Marabout et bouts de mystère

© 2015, Éditions Auzou
24-32 rue des Amandiers, 75020 PARIS

Direction générale : Gauthier Auzou ; Responsable éditoriale : Maya Saenz-Arnaud
Assistante éditoriale : Emeline Trembleau
Création graphique : Alice Nominé ; Mise en pages : Mylène Gache
Responsable fabrication : Jean-Christophe Collett ; Fabrication : Abella Lang
Correctrice : Catherine Rigal

ISBN : 978-2-7338-3307-0
Dépôt légal : mai 2015. Imprimé en Serbie.

LES ENQUÊTES D'ANATOLE BRISTOL

Marabout et bouts de mystère

Écrit par Sophie Laroche
Illustré par Carine Hinder

AUZOU *romans* Pas de géant

Pour Sœur Christiane et son joli regard sur nos différences à tous.

S. L.

1 Le nouvel élève

Il y a un nouvel élève dans ma classe. Il est arrivé ce matin. Il s'appelle Ky-Mani. Je sais qu'il y a un trait d'union dans son prénom, parce que la maîtresse l'a orthographié au tableau. C'est un détail important : je vais faire une fiche sur lui, pour mes enquêtes, et ce serait dommage qu'il y ait une faute dans le titre.

Ky-Mani m'intrigue. Et pas parce qu'il est

nouveau et qu'il a un prénom original. J'ai moi-même débarqué dans cette école il n'y a pas si longtemps, et question prénom qui ne passe pas inaperçu, je m'y connais : Anatole, il faut assumer, je vous le confirme !

Ky-Mani vient d'Éthiopie. C'est un pays d'Afrique, situé à mi-hauteur vers la droite, et qui est entouré du Kenya, du Soudan, de la Somalie et d'un autre pays, mais Philo ne se souvient plus duquel. C'est elle qui m'a montré d'où venait le nouveau ce matin, en dessinant vite fait une carte sur son cahier de brouillon. Mon amie m'a impressionné, elle a un vrai plan Mappy dans la tête. C'est limite si elle ne connaissait pas les routes les plus courtes pour y aller. Plus tard, si elle veut, elle pourra être voix de GPS, car elle est, semble-t-il, incollable en géographie. (En fait, Philo pourra faire ce qu'elle veut, elle est incollable en tout.)

Quand je dis que Ky-Mani vient d'Éthiopie,

je ne veux pas dire que ses grands-parents y habi-
taient, ou qu'il y est né. Non, il y habitait encore
vendredi. Et ce matin, il est dans ma classe, là,
à Villecresnes, petite commune de la banlieue
parisienne. Quel choc ça doit être ! J'aimerais
bien que Ky-Mani me raconte ce qu'il ressent, ce
qui l'a étonné, mais il ne parle pas français. Pas
un mot. Enfin si, trois : bangour, alevoir et meri.

Eh oui, il a en plus du mal à les prononcer. Que ce soit clair, je ne me moque pas, je ne parle pas un mot d'éthiopien, moi ! En plus, je suis content qu'il soit là. Voilà quelque temps que je n'ai aucune enquête à mener dans l'école et je m'ennuie un peu. Alors un nouvel ami, exotique en plus, voilà une vraie aubaine !

Philo aussi est enthousiasmée par l'arrivée de Ky-Mani. Plus que moi encore. Lorsque la sonnerie de la pause nous délivre enfin de la torture des exercices de maths, elle m'annonce :

— Ne m'attends pas pour aller jouer au foot, je vais d'abord me présenter à Ky-Mani et lui donner ma petite bouteille d'eau.

Je ne sais pas pourquoi elle me dit ça, parce que :

1. JE N'AI PAS L'HABITUDE DE L'ATTENDRE AVANT D'ALLER AU FOOT, ELLE N'Y JOUE MÊME PAS.

2. JE NE VOIS PAS POURQUOI KY-MANI AURAIT BESOIN DE SA BOUTEILLE D'EAU.

Je décide de garder pour moi ma réflexion sur le point 1 et l'interroge sur le point 2. Sa réponse est déconcertante :

— Anatole, je te rappelle que Ky-Mani arrive d'Éthiopie. C'est un pays qui souffre beaucoup de sécheresse et où les habitants n'ont pas assez d'eau potable.

— Et alors ! je lui rétorque. Tu ne crois pas que l'hôtesse de l'air dans l'avion qui l'a amené lui a déjà servi un verre d'eau ? Sans compter que ça fait trois jours qu'il est là, il a dû boire depuis !

— Tu ne sais même pas s'il est venu en avion ou sur un bateau sans moteur, juste à rames, et surchargé, contre-attaque Philo. En plus…

Mais je n'entends pas la fin de sa phrase : je ne veux pas manquer le début du match, je file dans la cour et m'incruste dans l'équipe de Luca. (C'est lui le plus fort et j'ai envie de gagner !) Entre deux passes, j'aperçois mon amie en pleine conversation avec le nouveau. Enfin, de loin, il me semble que c'est elle qui parle, surtout. Mais Luca me lance :

— Si c'est pour rêver, Anatole, c'est pas la peine de jouer !

Mon ami est furieux parce que notre équipe vient d'encaisser un but par ma faute, alors je me concentre sur la partie : Philo me racontera plus tard.

De retour en classe, ma camarade n'a pas tant de choses à me dire sur ce premier échange.

— C'est difficile de se faire comprendre ou de comprendre ce qu'il dit.

— Il t'a parlé ?

— Non, même pas. Je ne sais vraiment pas comment faire.

— Prends un carnet et joue au Pictionary

avec lui. Le dessin, c'est un bon moyen de communiquer.

— Super idée, Anatole, je vais essayer dès la cantine, se réjouit mon amie, sans doute un peu trop fort…

… car Mme Appourchaux nous interrompt :

— Anatole, Philomène ! Ce n'est pas bientôt fini, ces bavardages ?

Nous couper la parole pourrait paraître impoli… si nous n'étions pas en classe ! Philo et moi ne répondons pas à sa question, et nous nous taisons : nous savons que c'est ce qu'attend de nous notre enseignante. (C'est une spécialité des maîtresses, ça, les questions qui n'attendent pas de réponse. À ne surtout pas confondre avec les autres, les normales, au risque de prendre un zéro à l'oral ! Oui, c'est compliqué, l'école…) Nous nous concentrons sur l'accord du participe passé avec l'auxiliaire avoir. Qui a inventé une règle aussi compliquée, franchement ? Un prof qui venait de se faire battre au foot ? Finalement, Philo et moi terminons les terribles exercices que Mme Appourchaux nous a donné**s** (la preuve que j'ai bien compris la règle !) et nous pouvons reprendre notre discussion tranquillement : notre maîtresse est en train de s'arracher les cheveux parce que Ky-Mani n'arrive pas à répéter les lettres de l'alphabet après elle. Le garçon commence même à s'énerver. Moi, j'en ferais autant à sa place. Si je débarquais dans un nouveau pays avec une nouvelle langue, avant d'apprendre à prononcer correctement les voyelles et les consonnes, je voudrais pouvoir dire « football », « récré », « chocolat », « vacances » et « enquêtes ». Des mots importants, quoi !

C'est la première fois de ma vie que j'assiste à une dispute en deux langues, c'est vraiment étonnant. Mme Appourchaux s'est montrée très patiente toute la matinée (en tout cas avec Ky-Mani) mais là, on dirait qu'elle sature. Et le nouveau aussi ! Il finit par se lever de sa chaise, se met à trépigner tout en agitant les bras. C'est très surprenant. Et quand des mots que nous ne comprenons pas du tout se mettent à jaillir de sa bouche, nous sommes tous très impressionnés…

a La maîtresse a disparu !

Franchement, nous aurions tous oublié très vite l'altercation entre Mme Appourchaux et Ky-Mani si elle n'avait pas eu d'étranges conséquences. Enfin, c'est en tout cas ce qu'affirme Élodie, une élève de ma classe. Moi, je ne suis pas complètement convaincu… Mais commençons par énoncer les faits :

1. HIER, MME APPOURCHAUX ET KY-MANI SE DISPUTENT,

ET KY-MANI, VISIBLEMENT TRÈS ÉNERVÉ, PRONONCE DE DRÔLES DE MOTS QUE PERSONNE NE COMPREND PUISQUE PAS UN DE NOUS NE PARLE L'ÉTHIOPIEN.

2. CE MATIN, MME APPOURCHAUX EST ABSENTE. LE DIRECTEUR, QUI NOUS L'ANNONCE, NOUS INFORME QU'IL NE SAIT PAS POUR COMBIEN DE TEMPS, QUE ÇA PEUT ÊTRE LONG... OU PAS... MAIS REFUSE DE NOUS DIRE POURQUOI ELLE N'EST PAS LÀ.

Tout de suite, mon cerveau d'enquêteur se met à turbiner. Notre maîtresse n'est pas partie faire une formation, en informatique par exemple, comme l'a fait Mme Soulebot, l'enseignante de ma petite sœur. (Et pourtant, elle en aurait bien besoin, elle n'a toujours pas compris que le bureau de l'ordinateur n'est pas le meuble où il est posé ! Mais c'est une autre histoire…) Dans ce cas-là, nous aurions été prévenus à l'avance, M. Bezault saurait quand elle serait de retour et elle aurait été remplacée dès ce matin. Elle est peut-être malade, et dans cette hypothèse, ça sera sans doute très grave, puisque son absence risque d'être longue. Mais franchement, elle semblait très en forme hier. Un cancer, ça ne s'attrape pas en pleine nuit comme un rhume, juste parce qu'on a dormi la fenêtre ouverte…

À la cantine, je fais part de mes premières conclusions à Philo, qui tient à y ajouter des précisions :

— L'éthiopien, ça n'existe pas comme langue, commence-t-elle par m'expliquer sur un ton professoral. Il y a plus de quatre-vingt dialectes parlés dans le pays, et les six principaux sont l'amharique, l'oromo, le tigrinya, le somali, le gurage et le sidama.

Qu'est-ce qu'elle m'énerve quand elle fait sa mademoiselle Wikipédia comme ça ! Mais je n'interviens pas et laisse mon amie terminer : elle a souvent des remarques très justes.

— Par contre, tu as tout à fait raison (qu'est-ce

que je disais, des remarques très justes !) quand tu dis qu'elle n'est pas en formation et je ne crois pas non plus à la maladie grave. Le directeur n'avait pas l'air triste pour elle ce matin, et je sais qu'il l'apprécie. Son visage affichait plutôt une expression à la fois étonnée et gênée…

— Moi, je sais ce qu'a Mme Appourchaux, intervient alors Julie, assise près de Philo.

En général, je n'aime pas que les autres se mêlent de nos conversations quand Philo et moi enquêtons. Mais là, il s'agit de la fille dont je suis (très) amoureux (très) secrètement, alors cela ne me dérange pas. J'espère juste que son regard planté sur moi ne va pas me faire perdre ma concentration et mes moyens !

— Notre maîtresse a fait un burn-out.

— Un bourne quoi ?

— Un burn-out, Anatole. C'est de l'anglais. Ça veut dire qu'elle a craqué, ses nerfs ont lâché. C'est sans doute la dispute avec Ky-Mani qui a déclenché la crise. Notre maîtresse est surmenée, ça arrive souvent aux adultes. Ils travaillent trop !

Parce que nous, nous ne travaillons pas énormément, avec tous nos devoirs, peut-être ? Mais je n'ai pas le temps d'exprimer mon avis qu'Élodie, installée en bout de table, se mêle à la conversation. Là, ça commence à faire beaucoup. D'autant que son explication de l'absence de notre maîtresse est des plus surprenantes.

— Moi, je ne crois pas qu'elle ait pété un

plomb, crie-t-elle, pour être sûre que je l'entende. (Je répète ce qu'elle a dit, ce n'est pas moi qui suis vulgaire !) Elle a plutôt été ensorcelée par les paroles du nouveau, Ky-Machin. Il a quand même été très bizarre.

— C'est Ky-Mani, la coupe sèchement Philo. Et je ne vois pas ce qu'il a de bizarre. Il a deux jambes et deux bras, comme nous.

Philo n'aime pas Élodie, mais je crois que tout le monde l'a compris… Élodie le lui rend bien, comme le montre d'ailleurs sa réponse qui fuse :

— Peut-être, mais au cas où tu n'aurais pas remarqué, ils ne sont pas de la même couleur que les nôtres.

— Mais… mais… c'est du racisme ! s'étouffent en même temps Philo et Julie.

— Non, mais je note juste qu'il y a une différence entre lui et nous. Il arrive tout juste d'Afrique, il y a encore des sorciers là-bas, il a peut-être marabouté la maîtresse.

— C'est tout à fait possible, j'ai lu un livre là-dessus, intervient à son tour Félix, des frites plein la bouche.

Bientôt, toute la table se mêle à notre conversation. Je n'écoute plus Élodie, qui s'est lancée dans un grand discours qui doit prouver qu'elle n'est pas raciste. Maraboutée, M\ :sup:me Appourchaux, ça, j'ai du mal à le croire ! Je pense déjà à ce

que je vais faire en sortant de l'école : lancer ma nouvelle enquête sur sa disparition…

Pour ça, je compte bien sur Philo : elle aime beaucoup notre maîtresse, et sera sans doute disposée à faciliter son retour. Je lui fais part de mon projet alors que nous remontons en classe, mais elle ne m'écoute pas.

Oh, pas parce qu'elle n'aime plus les enquêtes ou se moque de ce qui arrive à notre enseignante, non.

Philo est complètement hypnotisée par le monsieur qui se tient près du tableau dans notre classe. Au point qu'elle reste debout quand il nous invite tous à nous asseoir et nous explique qu'il remplace Mme Appourchaux.

— Je m'appelle M. Caron et je suis votre enseignant, nous annonce-t-il, avant de se retourner vers Philo : Eh bien, jeune fille, tu ne t'assieds pas ? Comment t'appelles-tu ?

— Pholimène… bredouille mon amie,

provoquant l'hilarité générale.

Mais Philo ne s'en rend même pas compte. Elle se laisse tomber sur sa chaise et me glisse en douce à l'oreille, tout en adressant un sourire béat à M. Caron :

— Anatole, mon Dieu, tu as vu comme il est beau !!!

Après Mme Appourchaux maraboutée, Philo foudroyée par l'amour, il ne manquait plus que ça !

3   En mission très secrète...

Bon, je vais enquêter sans Philo, je l'ai bien compris. Mon amie semble marcher à dix centimètres du sol depuis qu'elle a aperçu M. Caron. C'est vrai qu'il n'est pas mal physiquement, mais de là à se mettre dans un état pareil ! Au moins, il est sympa. Il a commencé par nous demander ce que nous étudions en ce moment, puis il a feuilleté nos cahiers (enfin, surtout ceux de Philo qui tenait absolument à ce qu'il sache comme elle travaillait bien) et pour finir, comme nous avions informatique, il nous a proposé de rédiger notre portrait sur les ordinateurs.

Si Philo a écrit au moins trois pages, moi, mon texte était bouclé en dix lignes. Il faut dire que j'avais une idée derrière la tête : j'ai profité de l'ordinateur pour faire une recherche sur Internet, et j'ai trouvé l'adresse de Mme Appourchaux. En allant sur le site de Villecresnes, j'ai même vu que je pouvais m'y rendre en bus très facilement à la sortie de l'école. Il faut juste pour cela que Maya, ma petite sœur, accepte de rentrer de l'école sans moi, et ne dise rien à nos parents. Je devrais réussir à négocier ça…

Et, en effet, une promesse de lave-vaisselle vidé sans son aide et trois carambars plus tard, me voilà dans le bus direction la maison de ma maîtresse. Je descends à l'arrêt dont j'avais bien noté le nom sur ma fiche « Disparition Mme Appourchaux », et je remonte la rue jusqu'à sa maison : 28, rue de l'Étoile, nous y sommes ! (Enfin, j'y suis tout seul, abandonné par Philo, mais je ne vais pas revenir là-dessus…) A priori, rien de particulier, si je ne tiens pas compte de l'invasion de nains de jardin sur la pelouse.

Mme Appourchaux doit en faire la collection. Je
sonne. Re-sonne. Rien. Un coup d'œil à droite,
un autre à gauche, j'enjambe vite la petite clô-
ture et remonte l'allée au milieu de Simplet,
Grincheux et leurs copains (ils ne sont pas 7,
mais au moins 77 !). Les volets sont fermés :
cela veut dire que la maîtresse n'est pas partie
dans la précipitation. À moins qu'elle n'ait été
égorgée dans son sommeil ? Non, impossible,
le directeur nous aurait annoncé son décès… Je
suis heureux d'écarter cette hypothèse ! Je fais
deux fois le tour du pavillon, avant de remar-
quer que la petite fenêtre à côté de la porte
d'entrée n'a pas de volet. J'attrape la poubelle
juste à côté, vérifie qu'elle est vide avant de la
retourner et de me hisser dessus. En équilibre
– mais pour combien de temps ?! –, je regarde
par la vitre, aperçois une cuisine parfaitement
rangée. Il y a juste un verre retourné posé sur
l'évier. Sur l'étagère, il y a au moins vingt pots

de miel : on se croirait chez Winnie l'ourson, voilà qui explique que notre maîtresse ait parfois l'humeur d'une ourse mal léchée ! Mais je ne suis pas là pour rigoler, je continue mon inspection jusqu'à ce qu'…

… au secours ! Une main énorme a saisi ma cheville, je perds l'équilibre et me retrouve allongé dans l'herbe entre cinq nains hilares.

Devant moi se dresse un vrai géant. Du moins il me semble.

— Garnement, que fais-tu là !?! me demande-t-il d'une voix très grave.

Là, j'ai juste envie de me relever et de m'enfuir, mais il me tient toujours la jambe. Alors, je prends mon air le plus innocent possible, et je lui réponds, les larmes aux yeux :

— Je suis un élève de Mme Appourchaux, et j'étais désolé qu'elle ne vienne pas aujourd'hui, alors j'ai voulu savoir si elle était malade.

Je pense même préciser un instant que je voulais lui apporter des fleurs, mais vu que je n'en ai pas, autant ne pas trop en rajouter. D'autant plus que le géant semble croire à mon histoire. Il a lâché ma jambe, et me laisse me relever.

— Écoute, garçon, finit-il même par lâcher. Ta maîtresse n'est pas souffrante, elle va bien.

Me voilà rassuré… jusqu'à ce qu'il enchaîne,

sur un ton aussi persuasif que menaçant :

— Maintenant, ce qu'elle fait et avec qui ne te concerne pas du tout. Alors, file d'ici et vite fait. Et que je ne te revoie pas, sinon, je me charge de te tordre le cou !

Il me montre alors ses deux grandes mains pour me convaincre, mais c'est inutile ! Je déguerpis à toute vitesse, renversant au passage deux ou trois gnomes. Je remonte la rue en courant, me plante derrière l'arrêt de bus pour ne pas qu'il me voie, mais j'aperçois quand même Gulliver qui sort de chez les lilliputiens, et qui, planté devant la maison de ma maîtresse, me surveille jusqu'à ce que mon bus arrive enfin et que je m'y engouffre. Cet homme veille sur le secret de mon institutrice, c'est certain. Que peut-elle avoir à cacher pour s'assurer le soutien d'un tel homme ? Est-ce qu'elle fait du trafic ? Et si ce n'était pas du miel dans tous ces pots ? Et si elle était en prison ? Ou en cavale ? Les idées se bousculent encore dans ma tête quand je rentre chez moi. Maya m'assaille de questions :

— Alors, qu'est-ce que t'as découvert ? T'as eu peur ? Elle va bien ? Elle a été enlevée ? Par des extraterrestres, tu crois ?

Flûte, j'avais oublié que je lui avais promis un récit détaillé de mon enquête ! Après tout, à défaut de Philo, Maya peut se révéler une assistante efficace… Quand maman rentre dix minutes plus tard, elle nous trouve tous les deux assis sur le lit de ma sœur en pleine discussion, et nous adresse un regard attendri : deux enfants si sages et qui s'entendent si bien… ça vaut bien une pizza ce soir.

Après toutes ces émotions, je ne suis pas contre !

4 Le remplaçant s'embrouille !

Cela fait deux semaines maintenant que Mme Appourchaux est absente, et personne ne sait encore pourquoi. J'avoue que je n'ai pas osé retourner chez elle. Une fois seulement, Philo a accepté de m'aider dans mon enquête. Elle m'a accompagné pour demander au remplaçant s'il savait ce qu'avait notre maîtresse et quand elle allait revenir. Elle a même insisté pour poser elle-même la question. (Pour mon amie, toutes les occasions sont bonnes pour s'adresser à lui, surtout presque en tête à tête !)

— Je n'en sais rien, lui a-t-il répondu, avant d'ajouter : Pourquoi demandes-tu ça, elle te manque ? Tu ne te plais pas en classe avec moi ?

Bien sûr, il la taquinait, je l'ai compris tout de suite, moi. Mais mon amie a viré au rouge pivoine et a bredouillé une réponse incompréhensible. Si M. Caron n'a pas compris qu'elle était amoureuse de lui, c'est qu'il a des petits pois à la place des yeux et une laitue à la place du cœur !

Ce qui est plus ennuyeux, c'est que j'entends encore çà et là parler d'ensorcellement de notre maîtresse par le nouvel élève. C'est ridicule ! Ky-Mani s'adapte tout doucement à la vie dans notre classe. Il sait dire de plus en plus de mots chaque jour, c'est vraiment impressionnant. Par contre, il ne parvient pas à conjuguer, ce qui est normal. Ce qui l'est moins, c'est la façon dont Valentin s'est moqué de lui :

— Moi parle comme je pouvoir ! a-t-il lancé, avec un accent africain aussi appuyé que ridicule.

Et plusieurs de mes camarades ont éclaté de rire. Philo, elle, a vu rouge (et pas d'amour cette fois !) :

— C'est raciste, ce que tu dis !

— Non, c'est juste de l'humour, est intervenue Élodie. On rigole, c'est tout, c'est pas méchant.

Je n'en étais pas du tout convaincu, mais j'ai préféré ne rien ajouter.

Si Ky-Mani progresse aussi bien, c'est grâce à Philo et quelques camarades qui s'occupent vraiment bien de lui, mais aussi grâce à M. Caron. Il lui parle avec beaucoup de douceur, lui fait des petits dessins quand il n'arrive pas à lui faire comprendre un truc, et a renoncé à lui faire apprendre l'alphabet. Résultat :

Ky-Mani commence même à lire un peu. Hier, le garçon a voulu remercier tout le monde et il a apporté en classe une plante que l'on mange dans son pays.

— C'est feuille de khat, bon santé ! nous a-t-il annoncé.

Nous voulions tous bien le croire… mais ce n'était pas très appétissant. Ça ressemblait à une version éthiopienne des épinards, beurk ! Avec ses mots, Ky-Mani nous a proposé de la goûter, mais personne n'en avait envie. Au début, seul M. Caron a accepté et il a eu du mal à cacher sa grimace de dégoût. Mais comme il a essayé, forcément, Philo en a fait autant. Elle a lancé des « hum, c'est bon ! » mais, moi qui la connais bien, je ne l'ai pas crue une seconde : la preuve, elle a recraché ensuite le morceau en douce dans son mouchoir quand personne (sauf moi !) ne la regardait.

Une petite expérience exotique, pas de quoi noircir une fiche bristol, pensez-vous. Je l'ai cru moi aussi. Jusqu'à ce matin… M. Caron est arrivé comme tous les jours. Il nous fait classe comme tous les jours, Philo le regarde avec ses yeux de sardine amoureuse. (Non, je ne suis pas jaloux, je sais ce que c'est, l'amour, mais ça ne me rend pas idiot comme ça. Et puis le remplaçant est trop vieux pour elle !) Bref... Tout semble normal. Sauf que M. Caron redemande à trois d'entre nous quels sont leurs prénoms. Il parle à Ky-Mani comme si le pauvre garçon comprenait tout ce qu'il disait, et il s'adresse à Moussa, qui parle le français couramment, en parlant à la vitesse maximale de trois mots à l'heure !

À la récréation, la nouvelle se diffuse dans la cour, à la vitesse minimale de mille mots par seconde au moins : notre professeur a complètement perdu la boule ! Quand Gabriel me demande :

— À ton avis Anatole, qu'est-ce qu'il lui arrive ?

… je réalise que c'est en effet une enquête pour Anatole Bristol.

Et quand Élodie annonce :

— Je sais ce qu'il a, il a été empoisonné par la plante de Ky-Machin.

… je me dis qu'il y a urgence à ce que je perce le mystère !

— T'es pas sérieuse, s'insurge Philo. Je te signale que moi aussi, j'en ai mangé.

— Ouais… sauf que tout le monde t'a vu la recracher, rétorque Félix. Philo, tu ne peux pas dire le contraire, ça fait quand même deux trucs très bizarres liés de près au nouveau.

— C'est vrai, ça ! s'énerve soudainement Ariane, une élève de notre classe qui est toujours très réservée. Tu peux dire ce que tu veux, Philo, les Africains, ils sont pas comme nous. C'est pour ça d'ailleurs que c'est mieux s'ils restent en Afrique, c'est mon père qui le dit.

— Hé bien, ton père, tu sais ce que je lui dis, moi ? s'énerve cette fois-ci Hugo. C'est qu'un raciste !

Au secours ! C'est la guerre en pleine cour. La sonnerie qui retentit enfin ne parvient pas seule à ramener le calme, il faut en plus la grosse voix de M. Bezault :

— Les CM2, vous n'avez pas fini de vous étriper ! Quel exemple pour vos camarades plus jeunes !

Sa voix a un effet magique sur nous tous (pourtant, personne ne l'accuse de sorcellerie, lui…) et le silence revient. Seule Philo me glisse à l'oreille :

— Anatole, il faut qu'on se voie seuls à la cantine. Nous devons absolument trouver ce qui arrive à M. Caron, et aussi pourquoi Mᵐᵉ Appourchaux est partie, pour que ces histoires idiotes se finissent…

Ah, voilà ma Philo de retour !

— … Moi, je vais m'occuper de notre remplaçant, et toi de notre maîtresse.

Enfin, presque…

5   La vie secrète de la maîtresse

Je suis obligé de raconter à Philo ce qui s'est passé chez Mme Appourchaux. Mon amie voulait en effet à tout prix que je repasse chez elle dès ce soir. Et forcément, une fois qu'elle sait tout, elle s'exclame :

— Anatole, il faut ab-so-lu-ment qu'on sache ce qui est arrivé à notre maîtresse.

Soit exactement ce que je redoutais.

Heureusement, elle ajoute :

— Franchement, je ne la vois pas trop mêlée à un trafic quelconque. Tu te souviens, quand nous sommes allés avec la classe au musée, elle a été super gênée quand elle s'est rendu compte que la vendeuse à l'entrée ne lui avait pas fait payer sa place. Elle s'est sentie mal pendant toute la visite et elle a fini par aller au guichet pour se dénoncer !

Oui, je me souviens bien de cette histoire. Cela avait créé un joyeux bazar dans cette atmosphère si recueillie, parce que pour payer son billet, elle avait voulu remonter toutes les salles et sortir par l'entrée. Philo a raison : Mme Appourchaux est blanche comme neige, tout va bien…

— Elle a dû sans doute fuir en urgence, et confier sa maison au voisin. Nous devons savoir ce qui a pu lui faire peur pour qu'elle nous abandonne du jour au lendemain, sachant que le lendemain, justement, il y avait une dictée programmée !

Et notre maîtresse déteste rater cet exercice. Un jour, elle avait une extinction de voix, eh bien, nous avons quand même fait notre dictée, tendant bien l'oreille pour entendre son filet de voix. Essayez de vous concentrer à la fois sur ce que vous entendez et ce que vous écrivez, ce n'est pas du gâteau. Philo a encore raison : il s'est passé un truc grave.

Nous allons donc retourner chez elle, mais mieux préparer notre expédition, cette fois. Déjà, nous nous donnons rendez-vous le mercredi après-midi. Pour venir, Philo va manquer sa leçon de peinture sur tronc d'arbre. Moi, j'ai de la chance : le tennis, c'est le samedi !

Pour m'absenter, pas même besoin de mentir à ma mère : je lui explique que je veux rendre visite à ma maîtresse malade. Ma mère est très attendrie, elle propose même de m'accompagner (ah non, surtout pas !) et me fait promettre de ne pas traîner si je sens que mon institutrice est fatiguée. Je lui raconte juste un riquiqui bobard de rien du tout : je lui affirme qu'il y a dans mon sac à dos plein de petits cadeaux des autres élèves, c'est pour ça qu'il est si rebondi, alors qu'en fait, j'ai piqué du matériel de bricolage à papa. Pince coupante, tournevis, et même un marteau : je réussirai à entrer cette fois !

Une fois descendus du bus, Philo et moi notons tout de suite quelque chose d'étrange : devant la maison de Mme Appourchaux est garée une camionnette blanche, avec une antenne satellite sur le toit. Des espions russes ? Des policiers en civil ? Le FBI ? S'ils observent la maison de notre maîtresse, nous ne pourrons

jamais entrer en douce dans le jardin.

— Passons une première fois devant chez elle, suggère Philo. Nous pourrons peut-être voir ce qu'il y a dans cette camionnette.

— Mais s'ils nous enlèvent ?

C'est vrai, ça ! On ne sait jamais… Philo hausse les épaules et part seule. Je la laisse faire : si elle est remarquée, je pourrai toujours à mon tour tenter ma chance. Mon amie revient complètement abasourdie :

— Anatole, c'est un camion-télé garé devant le jardin de Mme Appourchaux ! Il y a le logo de N5 et W19 en gros dessus. Tu sais, c'est cette chaîne-là qui fait toutes les émissions où ils suivent des policiers, ils font des enquêtes, etc.

Waouh ! Anatole Bristol est sur une enquête suffisamment importante pour qu'elle passe à la télé. Ça, c'est la consécration. Mais si ça signifie aussi que notre maîtresse a de gros soucis, ce n'est pas du tout une bonne nouvelle finalement… Philo et moi décidons de nous lancer : elle va taper à la porte de la camionnette pour jouer la curieuse qui veut savoir pourquoi la télé est là, et moi, pendant ce temps, hop, je saute dans le jardin. Notre plan marche à merveille, sauf que j'atterris sur un nain de jardin que je décapite. Oups… Vite, je remonte l'allée, je m'accroupis devant la porte et m'attaque à la serrure. Mais il n'y a que dans les films que l'on remplace une clé par un tournevis, croyez-moi.

Très concentré sur ma tâche, je ne prête pas trop attention à la voix de Philo que j'entends m'appeler au loin. Mon amie, qui a accompli sa mission, devrait comprendre que j'ai besoin de concentration pour finir la mienne. Par contre, quand j'entends hurler…

— ANATOLE !!! QUE FAIS-TU ?

… là, forcément, je bondis. Je me retourne pour dire à Philo qu'elle doit être discrète et je me trouve nez à nez avec… notre institutrice.

Oui, c'est Mme Appourchaux, mais pas tout à fait quand même. Un truc a changé. En fait, elle est habillée… comme ses nains de jardin ! Bottes en caoutchouc, chapeau de paille sur la tête, salopette en jean avec une bretelle relâchée… Est-ce que sa collection lui a fait perdre la tête ? C'est seulement après quelques secondes que je remarque qu'à côté d'elle se tient un monsieur

habillé comme elle. Ça, à deux, ils font une belle paire ! Dans le jardin, il y a aussi Philo, et… deux cameramen, dont l'un qui s'énerve :

— Bon, c'est bien gentil ces enfantillages, mais nous, on a une scène à filmer. Caroline, tu amènes Robert chez toi. Fais sortir ces gosses, ressors dans la rue et recommence !

— Un instant ! lui répond notre maîtresse, pas du tout impressionnée.

Et pourtant, il a vraiment une grosse caméra sur l'épaule…

— Tu ne parles pas comme ça à mes élèves, poursuit-elle d'une voix sévère. (L'homme rentre les épaules… ça doit lui rappeler ses années d'école !) S'ils ont fait tout ce chemin pour savoir ce qui m'arrive, je peux bien prendre deux minutes pour le leur expliquer, l'émission ne sera pas gâchée pour autant !

L'homme, qui n'ose pas répondre, opine de la tête.

Amoureuse… Mme Appourchaux est amoureuse de Robert, apiculteur et éleveur de lapins dans le sud de la France, qui a cherché l'amour avec l'émission « Le bonheur est dans le pré ».

— Moi aussi, j'adore le miel, explique notre institutrice (ça, je l'avais compris), alors quand j'ai vu son portrait, je lui ai écrit. Il a retenu ma lettre, nous nous sommes vus le samedi au rendez-vous à Paris, et le dimanche soir, je faisais ma valise…

Tout s'explique ! Je suis impressionné par l'effet que l'amour a sur Mme Appourchaux. Philo, elle, a les yeux qui papillonnent. Elle se voit déjà élevant des brebis avec M. Caron.

— Les enfants, je dois vous laisser pour rejoindre Robert, nous annonce notre ex-institutrice, nous déposant un baiser sur le front.

Dites donc, l'amour, ça vous change une personne ! Juste à cet instant, notre maîtresse se retourne vers nous et nous lance, alors que le cameraman a déjà donné le signal du tournage :

— Philomène, Anatole, au fait, il est comment, le remplaçant ? Il vous fait assez de dictées ?

ÉNIGME DE LA MAÎTRESSE

6 Philomène se jette à l'eau

Chers enfants,

Je vais très bien. Je ne peux pas vous raconter pour l'instant ce qui m'arrive, mais vous serez prévenus en premier, je vous le promets. Je vous assure que je n'ai absolument pas été ensorcelée par Ky-Mani, votre camarade n'a aucun pouvoir magique.

C'est pour ça qu'il faut l'aider pour apprendre l'alphabet. Toutes les voyelles, et toutes les consonnes. Comme ça, il pourra aussi à son tour réussir les dictées.

Madame Appourchaux

Son écriture, les devoirs pour le nouveau en fin de lettre et pas une faute : tous nos camarades ont bien vu que cette lettre de Mme Appourchaux était authentique. Ils nous ont tous demandé ce qui lui arrivait, mais comme nous avions promis de garder le secret, nous avons fait semblant de ne pas savoir.

— N'empêche que ça n'explique pas ce qui est arrivé au nouveau maître, rappelle quand même Élodie.

Mais Philo ne lui répond pas. Elle sait que ce deuxième mystère reste à résoudre, et que nous allons nous y attaquer !

Pour commencer, Philo vérifie la mémoire

de notre instituteur. Toutes les occasions sont bonnes pour lui poser des questions, aussi bien sur le programme d'histoire que sur la vie de la classe. Il ne se trompe pas en répondant, mais se lasse assez rapidement, ce que je peux comprendre. En tout cas, je suis fier de mon amie :

pour les besoins de l'enquête, elle parvient à l'interroger sans rougir ou bredouiller. Elle fera une excellente détective plus tard. D'ailleurs, elle ne se décourage pas, et multiplie maintenant les allusions à cette fameuse journée où il s'est embrouillé. Et, là, coup de théâtre ! Le si gentil et si beau M. Caron perd son sang-froid et son joli sourire et… envoie Philo chez le directeur.

Philomène virée de la classe. Ça, c'est une grande première ! Quand elle réalise ce qui arrive, mon amie tremble un peu, mais elle se ressaisit vite. Après tout, elle sait au fond d'elle-même qu'elle n'a rien fait de mal. Mais que va-t-elle bien pouvoir raconter au directeur ? Il me tarde que la récré arrive, que je puisse aller la consoler. J'espère au moins qu'elle ne sera pas consignée dans son bureau à recopier des phrases stupides du genre : « Je ne dois pas demander à mon instituteur ce qui s'est passé vendredi… »

Je lâche un grand ouf de soulagement en descendant dans la cour une demi-heure plus tard : non seulement Philo est là qui m'attend, mais elle affiche en plus un grand sourire.

— Comment as-tu fait pour ne pas être punie ? la questionné-je illico.

— Facile ! J'ai inventé un énorme mensonge, m'annonce-t-elle, très fièrement. Et M. Bezault l'a cru !

— Ah bon, qu'est-ce que tu lui as dit ?

— Comme Mme Appourchaux nous a raconté que le directeur avait immédiatement accepté son absence imprévue parce qu'il avait été charmé par l'histoire de son coup de foudre avec Robert l'apiculteur, j'en ai conclu que, sous ses allures bougonnes, se cachait un grand romantique. Je lui ai raconté, tu ne vas pas y croire, que j'étais amoureuse de M. Caron, et que c'est pour ça que je ne tenais pas en place. Et figure-toi qu'il m'a crue et m'a juste expliqué

que je devais quand même me calmer en classe. Énorme, non ?

Non, pas si énorme que ça. J'imagine que mon amie a dû être très convaincante dans le rôle de l'élève amoureuse. Mais ce n'est pas le moment de le lui dire. D'ailleurs, elle ne m'en laisse pas le temps.

— Anatole, est-ce que tu as tes fiches sur toi ?

Bien sûr, question idiote ! Je garde pour moi mon commentaire et opine de la tête.

— Passe-m'en une vite, il faut que j'écrive un truc.

Je donne une fiche à mon amie, et la regarde aligner une série de lettres et de chiffres bizarres, que je ne reconnais pas. Mon amie aurait-elle inventé une écriture codée tandis qu'elle attendait la pause chez le directeur ?

— Voilà ! s'exclame-t-elle, très fière d'elle. Maintenant, si tout va bien, il suffit de retourner la fiche et on devrait lire…

JONATHAN CARON. TÉL. : 06 57 89 63 52.
EMAIL : JO.CARON@YAHOO.FR

Waouh ! Mon amie m'impressionne vraiment ! Mais pourquoi a-t-elle mémorisé ces informations à l'envers ? Ce n'est pas évident !

— Mais tout simplement parce que la feuille avec les coordonnées de M. Caron était posée sur le bureau du directeur, tournée vers lui, pas vers moi ! me répond Philo quand je lui pose la question.

Et cela me paraît en effet très logique. Maintenant, reste à savoir ce que nous allons faire de ces informations…

7
Racistes ou pas racistes ?

— Y'en a marre de l'Éthiopie, on ne parle plus que de ça ! Je suis certain que c'est même pas au programme, maugrée Félix, suffisamment fort pour que nous l'entendions, mais pas assez pour se faire prendre par M. Caron.

Du moins le croit-il…

— Félix, tu as quelque chose à dire ? demande en effet notre instituteur.

Loupé ! Là, notre camarade décide de ne pas se dégonfler :

— Monsieur, pourquoi fait-on la recherche sur l'Éthiopie et pas sur un pays plus proche, je ne sais pas moi, comme la Belgique ou l'Angleterre ? On a plus de chance d'y aller.

— Mais parce que l'Afrique, c'est beaucoup plus intéressant ! s'exclame Philo sans laisser une chance à notre instituteur de répondre. Ils ont un mode de vie complètement différent, ils logent dans des cases, ils chassent la gazelle, ils font cuire leurs aliments sur du feu…

— Toi, t'as trop regardé *Kirikou* ! ironise alors Moussa. L'Afrique, c'est pas complètement arriéré, on vit dans le même millénaire que vous.

— Ouais… mais pas comme nous, insiste alors Ariane. Vous avez des coutumes différentes, vous ne pouvez pas le nier. Vous faites des trucs qu'on ne fait pas chez nous.

— STOP ! s'interpose alors M. Caron.

Il était temps, j'ai bien cru que ça allait encore partir en guerre civile dans la classe.

— Tout ce que vous dites, les enfants, est très intéressant. En effet, en Afrique, en Éthiopie ou en Côte d'Ivoire, ton pays d'origine, Moussa, les coutumes ne sont pas forcément les mêmes que chez nous. Nous sommes à la fois différents et semblables. C'est ça qui fait la richesse de l'espèce humaine, non ?

Sans doute, mais il est quand même un peu compliqué, son exposé. D'ailleurs, aucun d'entre nous ne se prononce et M. Caron poursuit :

— En tout cas, je peux vous expliquer pourquoi j'ai choisi l'Éthiopie. Depuis un mois maintenant, Ky-Mani fait de gros efforts pour découvrir notre culture, pour apprendre notre langue, alors je me suis dit que ce serait bien que vous lui rendiez la pareille en faisant une petite recherche sur son pays. Faites comme vous le voulez : questionnez-le, allez à la bibliothèque, utilisez Internet. Au choix !

Seule Philo semble emballée à l'idée d'interviewer notre nouveau camarade. Tous les autres, nous avons en tête la formule magique qui va nous permettre de régler ce devoir vite fait bien fait. Elle tient en trois mots : Wikipédia, copier, coller.

Boogle

ETHIOPIE

8 La mystérieuse tribu qui maraboute !

Ça alors, je n'en reviens pas ! Et dire que j'ai failli passer complètement à côté de ce scoop… J'ai commencé mes devoirs vingt minutes à peine avant le début de ma série préférée : autant dire que j'avais très peu de temps à y consacrer. Alors, j'ai vite tapé « Éthiopie » sur Internet, j'ai cliqué ensuite sur la page Wikipédia sur le sujet. J'ai sélectionné les trois premiers paragraphes et là, hop ! copier-coller. La formule magique ! J'ai enregistré mon document, je l'ai imprimé, et je l'ai rangé dans ma pochette. Devoir fini ! Ou presque…

Comme je suis un élève sérieux, j'ai décidé de lire quand même une fois le texte que j'allais rendre à M. Caron.

Et là… quelle surprise ! Oh, pas d'apprendre que c'était le « deuxième pays d'Afrique pour sa population » ou que « la capitale Addis-Abeba, située à 2 400 m d'altitude, est la quatrième capitale la plus élevée au monde ». (Ça, c'est intéressant mais pas étonnant.) C'est la partie histoire qui m'a scotché : en 2000 avant Jésus-Christ, aurait vécu en Éthiopie une peuplade connue pour ses pouvoirs en médecine. D'une simple apposition des mains, ses membres guérissaient les plaies. Ils étaient aussi capables, d'un simple regard, de forcer quelqu'un à agir contre sa volonté. Ils auraient repoussé ainsi de nombreuses invasions. Apparemment, Wikipédia n'est pas sûr de lui sur ce coup-là, puisque c'est écrit au conditionnel (du moins je crois que c'est le conditionnel !) mais… et c'est là que ça devient complètement incroyable, c'est au présent que Wikipédia affirme qu'aujourd'hui encore, certains Éthiopiens viennent au monde avec la marque distincte de cette tribu, une tache claire sur la nuque. Ils sont alors systématiquement prénommés Ky-Mani, «celui qui manie »… et ils sont considérés par leurs familles comme des êtres surnaturels.

Ky-Mani aurait-il finalement des pouvoirs magiques ? J'ai vraiment du mal à le croire, mais si c'est Wikipédia qui le dit… Ce matin, en arrivant à l'école, je ne vais pas comme d'habitude taper dans le ballon avec Luca avant la classe, mais décide pour une fois d'épauler Philo dans son travail d'intégration de notre nouveau camarade. Anatole Bristol doit percer

ce mystère ! Apparemment, je ne suis pas le seul à avoir eu cette idée : toute la classe ou presque est attroupée autour de mon amie et du garçon.

— Mais qu'est-ce que vous avez donc tous ? finit par s'impatienter Philo. On dirait que vous découvrez tout juste que Ky-Mani est avec nous en récréation aussi !

— Mais, t'as pas lu sur Wikipédia ? questionne Julie.

— Lu quoi ? s'étonne ma camarade.

Mais Julie n'a pas le temps de répondre, M. Caron vient nous chercher pour aller en classe. Nous commençons la journée par la correction des devoirs, et notre instituteur nous questionne à l'oral sur nos recherches. Les premiers interrogés n'osent pas parler de la découverte sur Ky-Mani, ils préfèrent parler taille du pays ou nombre d'habitants. C'est finalement Gabriel qui se lance. Quand il a fini sa présentation de cette mystérieuse tribu, notre professeur éclate de rire et lui demande où il a déniché une information aussi farfelue.

— Sur Wikiwikipépédidia ! crions-nous tous ensemble presque à l'unisson.

— Hé bien, vérifions cette information !

M. Caron allume son ordinateur et lance la recherche sur Wikipédia. Et là… rien. Enfin si, des infos sur le pays, mais plus une ligne sur les ancêtres de Ky-Mani. Incroyable…

— C'est Ky-Mani qui a tout effacé, murmure alors, effrayée, Ariane. Il a des pouvoirs, c'est sûr !

— Et s'il nous envoûtait ? s'inquiète à son tour Élodie.

Franchement, je ne sais plus quoi penser. Il y a forcément une explication, mais laquelle ? J'ai du mal à croire aux pouvoirs surnaturels, mais là, quand même : le comportement bizarre de M. Caron après avoir goûté la plante, les infos qui disparaissent de Wikipédia… Anatole Bristol est complètement dépassé par les événements !

Heureusement, M. Caron nous propose… d'enquêter, là, tout de suite, tous ensemble :

— À votre avis, les enfants, que s'est-il passé ?

— Peut-être qu'on a mal lu, hasarde Hugo.

— Pas possible, rétorque Ariane. Nous ne pouvons pas TOUS avoir mal lu.

— Peut-être que l'info a été classée secret défense dans la nuit par la CIA, propose Guillaume, qui a toujours eu une grande imagination. Nous sommes les derniers à avoir eu l'info !

— Tu t'approches, lui répond notre enseignant, en haussant mystérieusement les sourcils.

Ça alors…

— Qu'est-ce que vous voulez dire ? demande Philo.

Mais le maître ignore sa question. Il réactive l'écran d'ordinateur en veille, promène la pointe du curseur sur la page de Wikipédia sur l'Éthiopie et… change des informations, là, en direct, devant nous !

M. Caron s'amuse de nos mines ébahies, puis confesse :

— Les enfants, excusez-moi pour le mauvais tour que je vous ai joué. L'Éthiopie est un sujet d'étude passionnant, mais la leçon du jour, c'était plutôt : « Méfiez-vous de ce qui est écrit sur Internet, ne prenez pas tout pour argent comptant. » Je viens de vous montrer que même Wikipédia, qui est pourtant un site réputé pour son sérieux, n'est pas fiable à 100 %. Tout le monde peut y modifier les informations.

Ça alors… Quelle drôle de façon de nous apprendre des choses ! Je dois reconnaître que je trouve ça cool : je n'oublierai pas ce que j'ai appris aujourd'hui ! Me vient alors une question :

— Dites, monsieur, quand vous avez fait semblant d'être bizarre, qu'est-ce que vous avez voulu prouver ?

— De quoi parles-tu, Anatole ? Je ne comprends pas…

Il a l'air tout à fait sérieux…

9 Deux pour le prix d'un !

Cette fois, la question était définitivement réglée : Ky-Mani n'a aucun pouvoir magique, ce n'est pas un sorcier, même Élodie, Félix et Ariane en conviennent. Notre camarade progresse très vite en français, et il peut désormais nous raconter sa vie en Éthiopie. Première surprise de taille, il habitait en ville, dans un appartement. À croire que moi aussi, j'ai trop regardé *Kirikou*. Son intégration passe aussi par le sport, et là, ça commence un peu à poser problème : Ky-Mani est très doué au foot. Il avait envie de jouer dès son arrivée, mais ne pouvait jamais tenter de s'immiscer dans la partie, car Philo n'arrêtait pas de lui parler pendant la pause. Mon amie a été un peu vexée quand Ky-Mani nous l'a raconté, mais il l'a tout de suite remerciée pour tout ce qu'elle lui avait appris, et Philo a affiché un grand sourire satisfait.

Maintenant que Ky-Mani est bien intégré, Philo peut se recentrer sur sa nouvelle activité : soupirer d'amour en regardant M. Caron. Je crois que je vais devoir terminer mon enquête tout seul. Bien sûr qu'elle n'est pas finie ! Ce n'est pas parce que tout va bien dans l'école maintenant que je ne dois pas chercher à comprendre quelle mouche a piqué notre instituteur il y a quelques semaines. (Bon, je vais être honnête, je n'ai pas non plus d'autres mystères à résoudre pour l'instant.) Comment procéder ? Je ne vais pas le suivre, ça ne m'aidera pas. Utiliser son email ou son numéro de téléphone ? Mais pour lui dire quoi ?

Quel hasard ! Je suis justement en pleine réflexion sur le sujet quand je croise M. Caron. Rien de surprenant à croiser son prof, pensez-

vous. Sauf que je ne suis pas dans un couloir de l'école, mais dans les allées de la forêt de Grosbois, près de Villecresnes. Je promène ma chienne Iona. Notre instituteur, lui, fait son jogging. Il passe si vite que je n'ai pas le temps de réagir. Je reste là, comme un idiot, à ne savoir que faire. Dois-je profiter de cette aubaine ? Heureusement pour moi, ma petite chienne est bien plus réactive que moi. Iona, lasse de me tourner autour, se met à courir derrière M. Caron. Même si elle a des pattes beaucoup plus courtes que ses jambes à lui, elle le rattrape sans peine, et se met à tournicoter autour de lui si vite que la terre vole ! Si ça continue, mon maître va se trouver entouré d'un fossé !

Là, enfin, je réagis ! Je me précipite vers Iona, je l'attrape et je profite de l'occasion pour entamer la conversation :

— Excusez-moi, M. Caron, ma chienne ne voulait pas vous embêter.

Là, mon instituteur me regarde, fronce les sourcils, et me répond :

— Ah… oui, bien sûr… Antonin.

Antonin ? Il a oublié mon prénom ? Si jeune et déjà gâteux… Pauvre M. Caron ! Je suis atrocement gêné pour lui. Ça doit être le début de la maladie d'Alzheimer. Je comprends maintenant ce qui s'est passé en classe. Il a eu une attaque. Philo va être effondrée quand je vais le lui apprendre. Je dois vraiment afficher une mine désolée parce qu'à ce moment-là, mon maître explose de rire !

— Moi, c'est pas Antonin, c'est Anatole, m'sieur, me décidé-je quand même à lui dire.

— Anatole, bien sûr ! Je me souvenais que tu avais un prénom original et… joli ! bafouille mon instituteur.

Joli, tu parles, on ne me la fait pas à moi. Il doit s'en rendre compte, car il ajoute :

— Je vais tout t'expliquer, mais tu dois me

promettre de garder le secret… Personne ne doit savoir.

Personne, pas même Philo ? Ça va être dur à tenir comme promesse.

Ce que m'annonce M. Caron réjouirait pourtant ma meilleure amie. Elle qui est folle amoureuse de lui, comment réagirait-elle en apprenant qu'ils sont en fait deux ?! Notre instituteur a un frère jumeau, c'est aussi simple que ça. Depuis qu'ils sont tout petits, ils se remplacent quand ça les arrange.

— Une seule fois, à sept ans, nous avons été démasqués, se souvient mon interlocuteur. Un soir, j'ai demandé à Jonathan de descendre deux fois montrer à nos parents comme lui et moi nous étions bien lavé les dents. Mais ils ont compris la supercherie. Au baccalauréat, par contre, je suis allé à l'oral d'allemand à la place de mon frère, et lui est allé pour moi passer l'épreuve de français.

Waouh… c'est incroyable. Mais de là à…

travailler à la place de l'autre, il y a un sacré pas à franchir ! Quand j'ose le signaler à M. Caron (bis !), il acquiesce :

— Je finis mes études en médecine, alors inutile de te dire que mon frère ne va pas à l'hôpital à ma place. Par contre, il est allé au tribunal pour moi quand j'ai été convoqué parce que j'avais grillé un feu rouge. Je suis venu dans ta classe pour lui éviter la honte : sous la douche, monsieur avait eu la bonne idée de confondre sa bouteille de shampoing avec celle de teinture en blonde de sa fiancée. Il n'a pas osé se présenter comme ça devant vous, il a eu peur d'être ridicule ! Il m'a appelé, j'ai pris sa place, et il a filé chez le coiffeur.

M. Caron en blonde, ça aurait été rigolo, en effet ! Dire que je vais devoir garder cette histoire drôle secrète, quel dommage ! En même temps, je ne sais pas si Philo aurait vraiment ri en apprenant que son professeur adoré vit avec sa fiancée…

ÉNIGME DU REMPLAÇANT

ANATOLE APPROUVÉ BRISTOL

Épilogue

Moi, Anatole Bristol, détective d'école, j'ai accepté de faire un énorme sacrifice pour mon nouvel instituteur. Je n'ai pas révélé ma dernière découverte à mes camarades, et surtout pas à mon assistante, toujours si fière de moi quand je perce un mystère. Philo pense qu'à dix ans à peine, j'ai déjà une énigme irrésolue qui entache ma carrière. Ma réputation est ternie.

Moi, Anatole tout court, j'ai l'impression que j'ai beaucoup appris avec cette histoire, et pas seulement sur Wikipédia, les frères jumeaux ou encore… l'amour. (Même si je suis très heureux d'apprendre que l'on peut connaître le grand amour à l'âge… disons avancé… de Mme Appourchaux. C'est une bonne nouvelle pour elle, même si nous ne la reverrons plus, mais aussi une bonne nouvelle pour moi, si jamais il me faut plusieurs dizaines d'années avant d'avouer ma flamme à Julie !) Nous avons tous réagi différemment quand Ky-Mani est arrivé dans la classe. Certains de mes camarades ont eu des propos vraiment racistes. D'autres ont voulu être gentils, mais l'ont traité comme s'il était complètement différent de nous. Quelle était la meilleure solution ? Je l'ignore. Je sais juste que j'ai maintenant un nouveau copain, Ky-Mani, qui manie le ballon comme un champion !

Note de l'auteure

L'idée de cette histoire m'est venue dans la classe de CM1 de Cyrille Fauvet, enseignant à l'école Roux-Calmette aux Mureaux. Un enfant noir m'a regardée pendant tout l'échange, sans dire un mot et sans me quitter des yeux. J'ai appris à la fin que ce petit garçon, éthiopien, venait de débarquer à l'école deux jours plus tôt et ne parlait pas du tout le français. C'était il y a un an, et cet enfant a complètement apprivoisé la langue de Molière aujourd'hui. J'en suis heureuse et je tiens à rendre hommage au travail de ces enseignants, nombreux, qui accueillent chaque année des petits Ky-Mani dans leurs écoles.

Collectionne les romans
Pas de géant !

Les enquêtes
d'Anatole Bristol
Le gang des farceurs

Les enquêtes
d'Anatole Bristol
Mystères et Visages pâles

Les enquêtes
d'Anatole Bristol
Voler n'est pas jouer

Princesse LinYao
et la perle d'immortalité

Princesse Tya
et la disparition du pharaon

L'échange

Peur sur le ranch !

Collectionne les romans

Pas de géant !

Bienvenue au
refuge Kobikisa !

Les monuments de l'ombre
1. L'énigme du chevalier

Les monuments de l'ombre
2. Le labyrinthe du passé

Le journal de Lola

Les enfants du labyrinthe

Pardon Simon

Table des matières

Un petit mot de l'auteure et de l'illustratrice

Ne vous fiez pas aux apparences ! Même si je suis mariée et mère de trois enfants, je suis restée une grande enfant qui collectionne les peluches, adore le chocolat et les histoires pour enfants qui parlent d'amitié. Au point de m'être mise moi aussi à en raconter !

Sophie Laroche

Un peu d'humour, de poésie, de l'aventure, de la couleur (beaucoup !) et un crayon de bois : voilà la recette de cette histoire qui m'a beaucoup touchée ! Dessiner les frimousses de ces talentueux détectives en herbe m'a beaucoup amusée, j'espère avoir transmis toute la joie de vivre de ces jeunes héros !

Carine Hinder (alias Mipou)